Ce livre appartient à :

____

M. Peabody

Billy Little

LES POMMES DE M. PEABODY

de

MADONNA

ILLUSTRÉ PAR LOREN LONG

GALLIMARD JEUNESSE

UN LIVRE CALLAWAY

2003

Welcome
to
HAPPVILLE

M. Peabody félicite sa petite équipe pour le grand match qu'elle vient de jouer.

DANS LE VILLAGE DE HAPPVILLE
(qui n'était pas un très grand village),
M. Peabody félicitait sa petite équipe
pour le grand match qu'elle venait
de jouer. Elle avait perdu mais ce n'était
pas grave car tout le monde s'était bien amusé.

M. Peabody enseignait à l'école primaire et, pendant les vacances d'été, il organisait chaque samedi des matchs de base-ball avec d'autres écoles de la région.

Billy Little (qui n'était pas très grand) était un des élèves de M. Peabody. Il avait une passion pour le base-ball et une immense admiration pour M. Peabody. Après chaque match, Billy l'aidait à ramasser les balles et les battes. Lorsqu'ils avaient terminé, M. Peabody lui disait avec un sourire : « Merci, Billy, beau travail. A samedi prochain. »

Puis il rentrait chez lui en empruntant la grand-rue (qui n'était pas une très grande rue). Au passage, il saluait de la main les gens qu'il connaissait et tout le monde lui rendait son salut. Arrivé devant la boutique de fruits de M. Funkadeli, il s'arrêtait toujours pour admirer les belles pommes exposées à la devanture. M. Peabody prenait alors la pomme la plus brillante, la mettait dans son sac et poursuivait son chemin.

Ce jour-là, sur le trottoir d'en face, Tommy Tittlebottom regarda avec curiosité M. Peabody partir avec sa pomme.

« C'est bizarre, se dit-il, M. Peabody n'a pas payé la pomme. »

Tommy remonta sur sa planche à roulettes et se hâta d'aller raconter ce qu'il avait vu à ses amis.

M. Peabody prend la pomme la plus brillante.

Tommy et ses amis sont stupéfaits de voir que M. Peabody part sans payer la pomme.

Le samedi suivant, l'équipe de M. Peabody joua un autre match et perdit encore (comme d'habitude) mais ce n'était pas grave car tout le monde s'était bien amusé. Billy ramassa les balles et les battes et M. Peabody rentra chez lui en saluant de la main tous les gens qu'il connaissait. Une fois de plus, il s'arrêta devant la boutique de M. Funkadeli, prit la pomme la plus brillante, la mit dans son sac et poursuivit son chemin.

Sur le trottoir d'en face, Tommy Tittlebottom et ses amis furent stupéfaits de voir que M. Peabody était parti sans payer la pomme. Ils allèrent tout raconter à leurs amis qui le répétèrent à leurs parents qui le répétèrent à leurs voisins, qui le racontèrent à leurs amis dans tout le village de Happville (qui n'était pas un très grand village).

Le samedi suivant, M. Peabody se retrouva tout seul sur le terrain de base-ball en se demandant où étaient les autres. Il vit alors Billy qui s'avançait vers lui d'un air triste.

– Bonjour, Billy. Content de te voir mais où est le reste de l'équipe ? demanda M. Peabody.

Billy resta silencieux.

– Que se passe-t-il ? s'étonna M. Peabody.

Billy garda la tête basse.

– Tout le monde vous prend pour un voleur, dit-il en s'adressant à ses chaussures.

M. Peabody sembla ne pas comprendre. Il ôta son chapeau et se gratta la tête.

– Qui me traite de voleur, Billy ? Et qu'ai-je donc volé ? demanda-t-il.

– Tommy Tittlebottom et ses amis disent qu'ils vous ont vu prendre deux fois une pomme dans la boutique de M. Funkadeli sans rien payer, répondit Billy.

– Ah ! c'est ça ? dit M. Peabody en remettant son chapeau. Eh bien ! allons en parler à M. Funkadeli. D'accord ?

M. Peabody se demande où sont les autres.

« Tout le monde vous prend pour un voleur. »

Ils empruntèrent la grand-rue (qui n'était pas une très grande rue) et M. Peabody salua de la main tous les gens qu'il connaissait mais certains ne lui rendirent pas son salut. Il y en avait même qui faisaient mine de ne pas le voir. Enfin, ils arrivèrent devant la boutique de M. Funkadeli.

M. Funkadeli apparut sur le pas de la porte et dit :

– Que faites-vous ici, monsieur Peabody ? Vous n'êtes pas au match ?

– Nous avons fini de bonne heure aujourd'hui, répondit M. Peabody. Et j'aurais bien voulu prendre ma pomme un peu plus tôt que d'habitude.

– Bien sûr, assura M. Funkadeli. Vous payez votre pomme chaque samedi matin quand vous achetez votre lait, vous pouvez donc venir la chercher à tout moment. Voulez-vous celle-ci ? C'est la plus brillante.

M. Peabody prit sa pomme, sourit et l'offrit à Billy.

– Je serais ravi d'accepter cette pomme, mais il faut que j'aille rejoindre Tommy pour tout lui expliquer, dit Billy.

– Quand tu le verras, demande-lui de venir chez moi. J'aimerais bien lui parler, moi aussi, répondit M. Peabody.

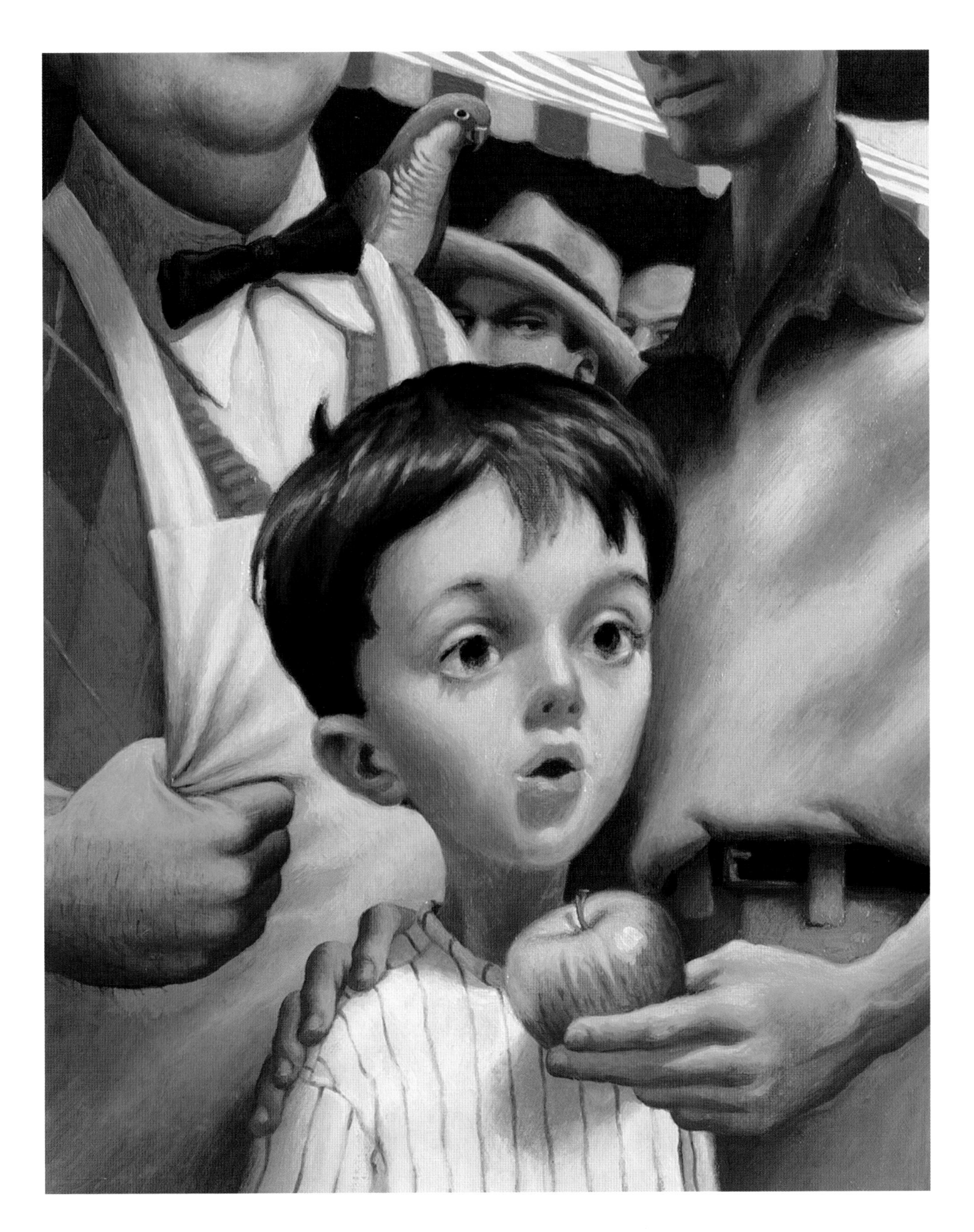

M. Peabody offre la pomme à Billy.

Billy se dépêcha d'aller retrouver Tommy pour lui raconter ce qui s'était passé. Il lui dit également que M. Peabody voulait le voir le plus vite possible. Tommy se précipita et sonna à la porte de M. Peabody qui vint aussitôt lui ouvrir. Tous deux échangèrent un long regard.

– C'est terrible, monsieur Peabody, dit Tommy, sur le seuil de la porte. Je n'avais pas compris. Je n'aurais jamais dû dire ce que j'ai dit mais on avait l'impression que vous preniez les pommes sans les payer.

Les sourcils de M. Peabody frémirent légèrement et il sentit une brise tiède souffler sur son visage.

– Peu importe les impressions, ce qui compte, c'est la vérité.

Tommy contempla ses chaussures et répondit :

– Je suis désolé. Que puis-je faire pour arranger les choses ?

M. Peabody respira profondément et regarda un petit nuage qui passait dans le ciel.

– Je vais te le dire, Tommy. Viens me retrouver sur le terrain de base-ball dans une heure avec un oreiller rempli de plumes.

– D'accord, dit Tommy.

Et il courut chez lui pour y prendre un oreiller.

Tommy sonne à la porte de M. Peabody.

Une heure plus tard, Tommy rejoignit M. Peabody au milieu du terrain de base-ball.

– Viens, Tommy, dit M. Peabody. Suis-moi avec ton oreiller.

Tommy suivit M. Peabody tout en haut des gradins en se demandant ce que tout cela pouvait bien signifier.

– Il y a du vent, aujourd'hui, n'est-ce pas ? remarqua M. Peabody lorsqu'ils furent arrivés.

Tommy approuva d'un signe de tête.

– Voici des ciseaux. Maintenant, coupe l'oreiller en deux et secoue-le pour en faire sortir les plumes.

Tommy sembla déconcerté mais il s'exécuta. Il trouva que ce n'était pas cher payé pour obtenir le pardon de M. Peabody. Peu à peu, le vent dispersa les milliers de plumes à travers le stade.

Tommy rejoint M. Peabody au milieu du terrain de base-ball.

Le vent disperse les milliers de plumes à travers le stade.

« Chacune de ces plumes représente un citoyen de Happville. »

Tommy paraissait soulagé.

– C’est tout ce que je dois faire pour arranger les choses ? demanda-t-il.

– Tu n’en as pas encore terminé, dit M. Peabody. Il faut à présent que tu ramasses toutes ces plumes.

Tommy fronça les sourcils.

– Je crois bien que c’est impossible, répondit-il.

– Il est tout aussi impossible de réparer le mal que tu as fait en répandant la rumeur que je suis un voleur, dit M. Peabody. Chacune de ces plumes représente un citoyen de Happville.

Il y eut un long silence pendant lequel Tommy commença à comprendre ce que M. Peabody voulait dire.

– Je crois que j'ai un gros travail devant moi, conclut-il.

M. Peabody eut un sourire.

– Sans aucun doute, répondit-il. La prochaine fois, ne juge pas les gens aussi hâtivement. Et souviens-toi du pouvoir des mots que tu prononces.

Il tendit alors à Tommy la petite pomme rouge qui brillait dans sa main et reprit le chemin de sa maison.

M. Peabody reprend le chemin de sa maison.

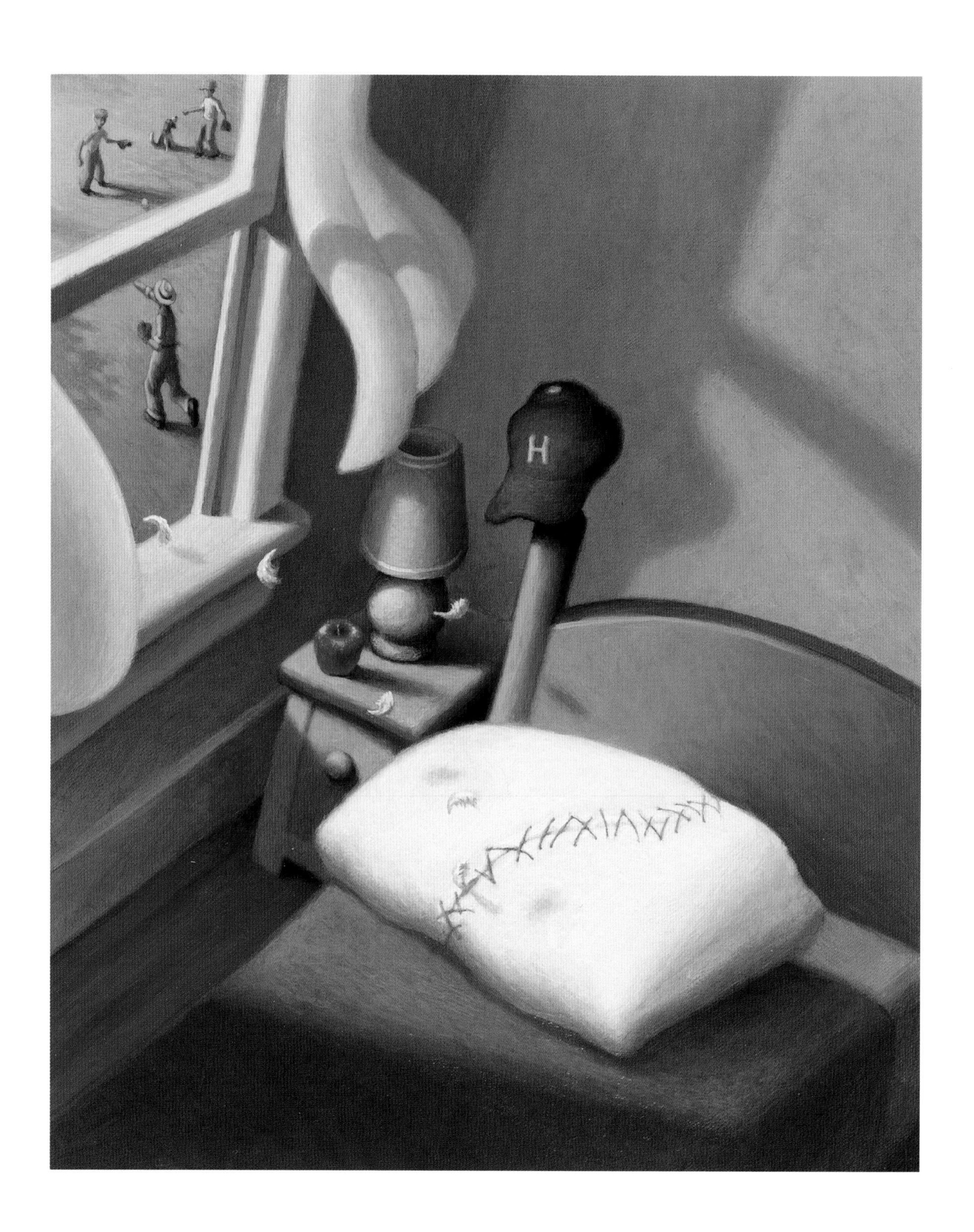
H

FIN

Aux enseignants de partout

Ce livre m'a été inspiré par un récit vieux de près de 300 ans que m'a raconté mon professeur de Kabbalah. Je m'en suis toujours souvenue et, lorsque j'ai commencé à écrire des livres pour les enfants, j'ai voulu partager avec eux l'essence de cette histoire.

Elle a pour thème le pouvoir des mots.
Et la prudence avec laquelle nous devons les choisir pour éviter de causer du tort à autrui.

Le Baal Shem Tov – le « Maître du Bon Nom » – qui est l'auteur de l'histoire originale était aussi un grand maître spirituel. Il est né aux alentours de 1700 en Podolie, une région d'Ukraine, et a consacré sa vie à enseigner et à aider les autres. Il pensait que pratiquer la religion par habitude est une entreprise vaine et incitait plutôt à comprendre pourquoi nous pratiquons la spiritualité. Parmi ses nombreux enseignements, il insistait sur la valeur et l'importance de l'amour pour les êtres humains.

J'espère avoir fait honneur à cette histoire.

MADONNA

ISBN : 2-07-055626-3

Publié pour la première fois en 2003 sous le titre :
Mr. Peabody's Apples
conception par Toshiya Masuda et production par Callaway Editions, New York

Les Pommes de M. Peabody

Traduit de l'anglais par Jean-François Ménard

Numéro d'édition : 124396
Dépôt légal : novembre 2003
Loi n° 46-956 du 16 juillet 1949 sur les publications destinées à la jeunesse
Imprimé en Italie par Editoriale Lloyd

www.madonna.com www.callaway.com www.gallimard-jeunesse.fr

Les droits d'auteur de Madonna seront versés à la Spirituality for Kids Foundation.

MADONNA RITCHIE est née à Bay City, dans l'Etat du Michigan. Elle a enregistré seize albums et a tourné dans dix-huit films, notamment *Une équipe hors du commun* (*A League of Their Own*). Elle vit à Londres et à Los Angeles avec son mari, le réalisateur de films Guy Ritchie, et ses deux enfants, Lola et Rocco. Son premier livre pour enfants, *Les Roses anglaises*, a été publié dans plus de cent pays en septembre 2003.

LOREN LONG vit à Cincinnati, dans l'Etat de l'Ohio, avec sa femme Tracy et ses deux fils, Griffith et Graham. Il a enseigné l'art de l'illustration et ses œuvres ont paru dans diverses publications, notamment *Sports Illustrated* et *Time* magazine. Fanatique de base-ball, il a lui-même joué pendant de longues années dans une équipe mémorable.

NOTE SUR LA TYPOGRAPHIE

Le corps du texte de ce livre est composé en Hoefler Text, une famille de caractères originellement développée pour les ordinateurs Apple de 1991 à 1993. La Hoefler Titling, dessinée en 1996 pour compléter la série Hoefler Text, a été utilisée secondairement. Les deux caractères s'inspirent de sources comme le Garamond n°3 de Jean Jannon et le Janson Text 55 de Nicholas Kis. Toutes les polices ont été dessinées par la Hoefler Type Foundry Inc.

PREMIERE EDITION